Beatrice Masini

BELLE INTELLIGENTE ET COURAGEUSE

Le cadeau d'Uma

Cet ouvrage a initialement paru en langue italienne en 2010
sous le titre *Il dono della figlia del re*.
© 2010, Edizioni EL S.r.l., Trieste Italy.

© Hachette Livre 2012 pour la présente édition.

Traduction : Anouk Filippini

Illustrations : Desideria Guicciardini

Mise en pages : Audrey Thierry

Hachette Livre, 43 quai de Grenelle, 75015 Paris

Beatrice Masini

BELLE INTELLIGENTE ET COURAGEUSE

Le cadeau d'Uma

hachette
JEUNESSE

Belle, intelligente et courageuse ?
Mais oui, c'est Uma !

Au cours de mon voyage à travers la Savane,
j'ai appris deux choses : que les larmes peuvent
être belles et précieuses ; et que ce sont les choses que
nous apprenons à faire tout seul qui nous font grandir.
Maman me l'avait dit, mais je ne l'ai compris
vraiment que lorsque je me suis retrouvée en danger.
Et je n'ai pas eu peur. Pas tant que ça.

Chapitre premier

Dans lequel le roi doit choisir l'un de ses sept enfants pour lui succéder

Il est un pays chaud et lointain où règne un roi bon et sage. Ce roi a sept enfants, six garçons et une fille, qu'il a eus de sept femmes différentes. C'est un roi vieux et fatigué, et il sent que sa fin est proche. Il doit donc

choisir celui qui le remplacera. La couronne devrait revenir à son fils aîné, comme il est d'usage, mais ce roi est un peu spécial : il a toujours considéré tous ses enfants comme égaux.

Il les fait venir et leur annonce :

— Mes enfants, il ne me reste plus beaucoup de temps à vivre. Je veux que vous alliez de par le monde et que chacun de vous me rapporte un cadeau, la chose la plus précieuse que vous trouverez. Vous devez être de retour dans trente jours… après il se pourrait que vous ne me trouviez plus. Celui d'entre vous qui me trouvera le plus beau cadeau gagnera ma couronne.

Les mères des six garçons se mettent immédiatement à se chamailler : « Mon fils est plus grand que le tien, il va gagner, c'est sûr… » ; « Mon fils est encore petit, c'est injuste ! ». En effet, l'âge des garçons va de dix-sept à douze ans, certains sont robustes et d'autres faibles, certains futés et d'autres pas très malins. Bref, la compétition n'est pas très équitable. Mais le roi tranche :

— Femmes, taisez-vous. Je suis un roi bon et sage, et je saurai juger lequel de mes fils me rapportera le cadeau le plus précieux.

C'est alors que s'avance la maman de la seule fille, une petite de dix ans qui s'appelle Uma.

— Bon roi, dit-elle. S'il est vrai que tu es sage, Uma a donc elle aussi le droit de participer et de devenir reine !

À ces mots, tout le monde se met à rire : d'abord les mamans, puis les plus grands et pour finir les plus jeunes… Une fille, devenir roi… ou pire, reine ! Quelle blague ! Mais le roi lève la main pour les faire taire et il dit :

— Tu as raison, septième épouse. Depuis la reine de Saba, aucune femme n'a régné, mais ce n'est pas une raison pour que cela n'arrive plus jamais. Uma peut participer. Mes enfants, je vous veux tous ici dans trente jours avec vos cadeaux. Je vous souhaite

bonne chance. Que le lion ne vous dévore pas, que les zombies ne vous effraient pas, que le vautour ne vous mange pas les yeux !

Les mères des garçons s'éloignent alors en chuchotant et en lançant des regards de travers à Uma et à sa maman. Elles sont habituées à être tenues à l'écart et s'en fichent.

De retour à leur hutte, Uma qui jusque-là n'a rien dit prend la parole :

— Maman, tu veux vraiment que je devienne reine ?

— Pas forcément, répond sa maman. Je veux juste que tu aies

les mêmes chances que les autres. Ce n'est pas parce que tu es une fille que tu ne dois pas régner. La reine de Saba était une femme belle, intelligente et courageuse.

— Mais moi je ne suis encore qu'une enfant, proteste Uma.

— Une enfant belle, intelligente et courageuse, affirme sa maman.

— Je dois vraiment y aller toute seule ?

— Il y a un tas de choses qu'on doit faire seul, Uma. Même si tu ne trouves pas le cadeau le plus beau, même si tu ne deviens pas reine, je suis sûre que ce voyage te sera profitable, maintenant et plus tard. Ce sont les choses que nous faisons par nous-même qui nous font grandir. Allez, préparons ton voyage !

De quoi donc a besoin une enfant de dix ans qui va affronter les lions, les serpents et les

rhinocéros ? De beaucoup et de peu de choses. Les armes sont inutiles, elles sont dangereuses et une enfant ne sait pas s'en servir.

Non. Il vaut mieux prendre une crème aux herbes qui ramollira les pieds après une longue marche ; un ocarina pour faire une jolie musique le soir et se sentir moins seule ; une couverture en crins de girafe pour s'y envelopper la nuit et avoir chaud, une grande gourde d'eau et une réserve de galettes afin de boire et manger.

— Quant au reste, conclut la maman, la Savane veillera sur

toi ! Sois attentive, sois maligne, sois rapide et reviens-moi.

Le lendemain matin, Uma s'en va, toute seule, chercher le plus précieux des cadeaux pour son père mourant.

Chapitre deux

Dans lequel Uma observe la Savane et affronte les premiers dangers

Ce n'est certes pas la première fois qu'Uma va dans la Savane. Tous les enfants de chez elle apprennent dès leur plus tendre enfance à s'en méfier : ne jamais quitter le chemin, ne jamais déranger les petits des animaux et, si on a peur ou si on se sent en danger, grimper dans un arbre et ne plus en bouger.

Cette fois, Uma doit faire encore plus attention : elle doit éviter les pièges et, en même temps, cher-cher et trouver un cadeau pour son père.

Les premiers jours sont les plus difficiles : elle se sent seule, sa maman lui manque tellement

et… elle a peur ! Plusieurs fois, elle est sur le point de pleurer, de tourner le dos à cette aventure et de rentrer chez elle, pour dire à tout le monde qu'elle s'en fiche d'être reine, qu'elle veut juste être une petite fille comme les autres.

Puis elle se rappelle qu'elle fait tout cela pour sa mère, par amour. Alors, elle essuie les quelques larmes qu'elle a au bord des yeux avant qu'elles ne glissent sur ses joues. C'est tou-jours comme ça dans la vie : par-fois on fait des choses pour soi, et parfois pour les autres. Et parfois en fait cela revient au même.

En observant et en observant, du haut d'un acacia, Uma apprend à quel moment les grands animaux vont à la chasse et dorment. Elle les regarde s'abreuver au fleuve et jouer avec l'eau tout comme les enfants du village.

Un jour, son attention est attirée par une lionne avec ses trois lionceaux trop mignons. La lionne va d'abord chercher une proie ; elle la tue, puis elle ramène la nourriture à ses petits qui la dévorent aussitôt. La lionne mange toujours en dernier ; elle se contente des restes. Elle a une particularité : elle boite un peu.

Et en observant et en observant, Uma se rend compte que chaque jour la lionne boite un peu plus.

Un soir, au coucher du soleil, alors que les petits dorment déjà, Uma voit que la lionne se lèche la patte avant droite, et qu'elle a l'air de souffrir. Uma rassemble son courage, descend lentement de l'arbre et s'approche.

— Attention, petite fille, tu es de la chair tendre, tu es une proie pour moi, siffle la lionne.

— Je sais, répond Uma. Mais je te vois souffrir, et je peux peut-être t'aider.

La lionne éclate de rire :

— Toi ? M'aider ? C'est le monde à l'envers. Aide-toi toi-même tant que tu le peux, petite fille, et reste loin de mes griffes.

Mais elle dit cela avec une voix un peu cassée, et Uma s'aperçoit qu'elle a les yeux pleins de larmes.

— Pourquoi tu pleures, lionne ? demande-t-elle en s'approchant sans crainte.

— Attention, tu es une proie facile pour moi, répète la lionne.

22

— Je sais. Trop facile, peut-être. Et c'est le soir, tu es fatiguée. Et puis tu pleures.

— Je pleure parce que j'ai une épine dans la patte, et je ne peux pas l'enlever. Ça me fait tellement mal que bientôt je n'arriverai plus à courir après les animaux de la Savane. Alors, tu vois… je suis très tentée de t'attraper.

— Oui mais ensuite avec cette patte tu n'irais pas loin ! Je peux t'aider. Tu me fais confiance ?

— Et toi, réplique la lionne, tu me fais confiance ?

Sans hésiter, la fillette prend dans ses petites mains la patte douloureuse de la lionne, la retourne et presse avec ses doigts autour de la zone où l'épine s'est enfoncée.

Avec beaucoup de patience, alors que la lionne gronde dangereusement, Uma fait ressortir le bout de l'épine et l'enlève. Puis elle lave la plaie, la sèche bien et masse la patte avec la crème aux herbes que sa maman lui a donnée. La lionne, qui n'a plus mal, peut se détendre, se calmer, et elle finit par s'endormir. Épuisée, Uma s'endort elle aussi.

À l'aube, elle est réveillée par quelque chose de chaud et de

24

râpeux qui lui caresse la joue. Ce sont les lionceaux qui lui lèchent le visage, heureux de jouer avec elle. La lionne est encore allongée et elle les regarde en plissant ses yeux jaunes.

— Tu as été courageuse, dit-elle, mais moi je n'ai rien à te donner. Ah si, une chose…

Et elle pousse vers la fillette ce qui ressemble à un petit tas de poussière. Uma regarde bien et voit une dizaine de perles transparentes où brillent les couleurs de l'arc-en-ciel.

— Ce sont mes larmes, dit la lionne. C'est rare de voir un lion pleurer, et c'est encore plus rare

d'en revenir vivant pour le raconter. Au moins, comme ça, quand quelqu'un entendra ton histoire, il te croira. Allez, va-t'en maintenant. J'ai faim et je pourrais encore changer d'avis.

Uma s'incline pour la saluer, puis elle s'en va. Elle a faim elle aussi mais elle ne voudrait pas que la lionne la prenne elle pour son petit déjeuner. Dans sa poche, elle joue avec les petites perles qui ont été des larmes. Des larmes de lion. C'est un cadeau de roi, sans aucun doute. Mais ça n'est pas suffisant.

Chapitre trois

Dans lequel Uma rencontre un autre habitant de la Savane, pas très sympathique

Uma sait que son aventure dans la Savane est loin d'être terminée. La Savane peut t'épargner une première fois, ça n'en reste pas moins un endroit dangereux. Elle poursuit donc son voyage en restant sur ses gardes, attentive....

Son père, elle le connaît mal : elle est la petite dernière, et il était déjà vieux quand elle est venue au monde. Il n'avait plus envie ni de jouer, ni de rire, ni de courir. Mais elle sait que l'on doit toujours honorer son père, et que cette chose qu'elle doit faire est importante. Et surtout, Uma voudrait tellement que sa maman soit fière d'elle !

Bref, elle a tout un tas de raisons pour accomplir cette fameuse mission, même si elle ne veut pas être reine. Elle, ce qu'elle voudrait c'est jouer avec ses frères, faire partie de cette grande famille, plaisanter avec son père, qu'il la fasse sauter sur ses genoux. Mais bon, maintenant qu'elle a commencé cette aventure, autant continuer et marcher. Ou plutôt courir ! Car, perdue dans ses pensées, elle n'a pas remarqué qu'elle est suivie… par un serpent !

Les serpents, on le sait, sont : froids, sournois, intelligents… On ne peut pas leur faire confiance. Tu te tournes un instant et paf ! Ils te mordent aussitôt. Si c'est un serpent constrictor, il s'enroule autour de toi et serre, serre… Uma sait bien que si ce serpent a décidé de faire d'elle sa proie, elle ne pourra pas lui échapper. Et donc autant le prendre par surprise.

Alors, elle sort son ocarina de son sac et commence à jouer. Il émet une petite musique faite de courtes notes aiguës et vibrantes. Sa maman lui a appris une petite

mélodie toute simple pour char-
mer les serpents : La-Ré-Si-La,
La-La-Ré-Si-La...

Uma a vraiment de la chance,
car ce serpent est justement sensible à la musique. Il est tellement sensible que parfois, quand
il chasse, il s'arrête pour écouter
le souffle du vent dans l'herbe
haute, et ses proies peuvent s'en-
fuir tranquillement. Il est même
tellement sensible que, parfois,
en allant s'abreuver au fleuve, il
s'émerveille en écoutant le bruit
de l'eau, et il reste là comme
endormi, au risque de se faire
écraser sous les sabots des buffles

33

qui passent… Il n'avait jamais entendu une musique aussi douce que celle jouée par Uma. Les notes évoquent les pleurs d'un enfant, ou même ceux d'un bébé serpent abandonné dans la Savane.

Le serpent est sous le charme… et il pleure ! Il pleure de chaudes larmes de douleur pour ce petit serpent abandonné auquel il pense en écoutant la musique. Il pleure parce qu'il est laid, visqueux et dangereux, et que tout le monde a peur de lui. Alors qu'il aurait voulu être sympathique, doux et populaire,

mais il ne le peut pas. Ce n'est pas dans sa nature. Il pleure et il s'enroule sur lui-même, tellement serré qu'il se noue ; et tout noué, il s'endort.

Uma continue à jouer longtemps, immobile, concentrée. Lorsqu'elle n'entend plus la plainte du serpent, tout doucement elle s'interrompt. Elle se retourne et voit le serpent noué, abandonné dans l'herbe, et plein de petites perles vertes, scintillantes, étalées tout autour de lui...

Cette fois, elle n'a pas besoin d'explication. Elle comprend que ce sont des larmes, et elle

les range dans un petit sac, avec les autres. Elle ne prend pas le risque d'attendre que le serpent se réveille… Tout s'est bien passé pour elle et elle ne voudrait pas trop forcer la chance. Elle remercie tout bas sa maman, qui lui a appris tant de choses utiles, et elle repart.

Soudain, une pensée l'arrête : elle fait demi-tour et revient sur ses pas. Au fond, elle n'a plus besoin de l'ocarina. Elle dépose alors le petit instrument au milieu du nœud formé par le serpent : comme ça, il le trouvera à son réveil, et peut-être qu'il apprendra à jouer. Après tout, ce n'est qu'une question d'entraînement.

Elle repart. Elle commence à avoir une petite idée de ce qu'elle va rapporter à son vieux papa. Mais le voyage n'est pas encore terminé…

Chapitre quatre

Dans lequel Uma sauve un bébé d'une mort certaine

Uma sait que son aventure dans la Savane est bien avancée, mais qu'elle est encore loin d'être terminée. La Savane peut t'avoir épargné une première fois, avoir été gentille avec toi une seconde fois, ça n'en reste pas moins un endroit dangereux. Elle continue donc à avancer en restant sur ses gardes, attentive, en gardant ses yeux et ses oreilles bien ouverts. Malgré cela, elle manque de se prendre les pieds dans un drôle de petit paquet posé au bord du fleuve. Elle se penche pour regarder cet étrange tas d'écailles. Un autre serpent ? Non. Un caméléon ? Non, trop grand. Un crocodile ? non, trop petit. Quoique…

C'est un bébé crocodile, tellement petit, qu'il n'a pas réussi à sortir complètement de son œuf ; il a un petit bout de coquille blanche sur la tête qui lui fait comme un étrange chapeau. Uma se penche sur lui. Il est laid, comme seuls peuvent l'être les crocodiles, mais il la regarde avec de grands yeux pleins de tendresse, et finalement elle s'attendrit.

Le petit tremble, il est vraiment maigre. Uma comprend que, si elle ne l'aide pas, il ne va pas survivre. Il va servir d'apéritif à l'un des nombreux prédateurs qui viennent s'abreuver à l'eau du fleuve.

Uma n'a pas grand-chose avec elle, et son sac est de plus en plus léger. Elle en sort le seul objet qui lui semble un tant soit peu utile : la couverture en crins de girafe. Elle n'est pas certaine que les bébés crocodiles dorment enroulés dans une couverture, mais bon : c'est un cas exceptionnel.

Elle ramasse le petit animal, sent la peau froide et les petites écailles sous ses doigts, et ne peut réprimer un frisson. Puis elle le dépose sur la couverture

44

étalée dans l'herbe ; elle replie ensuite celle-ci plusieurs fois, comme elle l'a vu souvent faire par les femmes du village quand elles habillent les enfants avec un simple morceau d'étoffe. À la fin, on ne voit plus que la tête du petit crocodile. Ses grands yeux jaunes commencent à se voiler, et se ferment pour de bon. Le crocodile dort. Uma s'allonge à côté de lui, et s'endort à son tour.

Le lendemain matin, le petit crocodile est réveillé et la fixe avec ses grands yeux jaunes, ce qui la fait à nouveau frissonner. La couverture n'est plus là. Il ne reste que quelques fils dans les dents du bébé, et Uma comprend qu'il l'a tout simplement mangée. Elle frissonne encore. Quel petit sauvage…

Soudain, dans les roseaux, apparaît la gueule pleine de dents d'un crocodile de taille adulte. Uma tremble : elle pense que c'est fini pour elle. Puis elle se dit que son papa aurait bien aimé une peau de crocodile ; puis, qu'elle n'arrivera jamais à battre cet adversaire ; et puis, elle ne pense plus à rien, car le crocodile se met à pleurer.

— Hihihi ! gémit-il. J'ai oublié un de mes petits, et maintenant il

n'est plus là. C'est le lion, la hyène ou le chacal qui l'auront mangé ! Ou alors il se sera fait piétiner par les sabots d'un gnou ! Quelle idiote et triste mère je fais !

« Ça alors, se dit Uma en retenant son souffle pour ne pas se faire remarquer. Voilà les fameuses larmes de crocodile ! Ça ne sert à rien de pleurer quand on a commis l'irréparable. »

C'est vrai, ça ne sert à rien, à part à se défouler, mais la maman crocodile (au moins maintenant on sait que c'est une femelle) ne le sait pas. Et donc elle continue à se lamenter, sans s'apercevoir que son petit est juste en dessous d'elle. Lui, il ne sait pas que c'est sa maman. Le premier être qu'il a vu, c'était Uma, et donc c'est vers elle qu'il marche sur ses petites pattes ; il se réfugie entre ses jambes, tranquille.

Uma ne sait pas quoi faire. Elle reste immobile, en espérant avoir une bonne idée. Mais quand on a très peur, c'est difficile d'avoir de bonnes idées. Alors elle ne bouge plus et puis voilà. Enfin la maman crocodile arrête de pleurer. Elle ouvre les yeux et voit son petit, et elle se met à crier :

— Il est vivant ! C'est lui, c'est mon bébé !

Uma croit alors que sa fin est venue. Dans un instant, le gros crocodile va se jeter sur elle et la dévorer pour récupérer son petit, et là : fin de l'histoire. Fin de l'histoire ? Pas possible !

Vite, Uma pousse doucement le bébé : il fait quelques pas en avant vers sa maman, sent son odeur, la reconnaît, et lui mordille le cou. La maman éclate de nouveau en sanglots et cette fois Uma en profite pour se sauver à toutes jambes. Mais non sans avoir ramassé par terre les petites

perles jaunes, les larmes de la maman crocodile. Elles sont pré-cieuses quand même ? Oui. Car ce sont des larmes de regret. D'ailleurs toutes les larmes sont précieuses, car toutes les larmes viennent de la douleur. Si ensuite la douleur se transforme en joie, tant mieux. Mais ces larmes ont été versées. Et ne serait-ce que pour cela, elles ont de la valeur.

Chapitre cinq

Dans lequel Uma sacrifie
la dernière chose qui lui reste

Uma s'éloigne à vive allure de cette partie du fleuve, mais elle continue à en suivre le cours : en effet, il est sage de rester près de l'eau, pour pouvoir remplir sa gourde en cas de besoin.

Dans le pays chaud et lointain où a lieu cette histoire, vivent des animaux petits, grands et très grands. Certains sont énormes, et ils mangent énormément. Mais il est une chose toujours prête à s'abattre sur les animaux petits, grands, très grands, et également sur les humains : c'est la faim. Et pas seulement la faim gourmande… Non, la faim de la nécessité aussi, celle qui laisse le ventre vide pour longtemps, alors qu'il n'y a rien, vraiment rien pour le remplir.

C'est une faim de ce genre qui accable un bébé hippopotame. Sa mère est morte, et cela signifie que le lait, le bon lait qui aurait dû le nourrir et le faire grandir,

ce bon lait est parti avec elle. Le papa hippopotame fait tout ce qu'il peut pour chercher des aliments adaptés à l'estomac d'un tout petit. Mais le bébé ne sait pas encore mâcher et il ne peut pas manger les herbes qui poussent sur la rive du fleuve. Le papa hippopotame est très inquiet, parce que son petit ne grandit pas, il est faible, il ne nage pas, il ne lui court pas autour. Le bébé reste à côté de lui, fragile, les yeux tristes. Et le papa a tellement peur de le perdre lui aussi.

Mais attention ! Les hippopotames ont l'air sympathiques, vu qu'ils sont gros et ronds et tout brillants… mais ils ne le sont pas. Dans la Savane on apprend vite à se tenir loin d'eux, parce qu'ils peuvent être très dangereux. Même s'ils ne sont pas carnivores, ils sont très grands et très lourds.

Ainsi, quand Uma voit l'hippopotame père et son petit, elle essaie de les contourner le plus discrètement possible. Mais elle pose un pied sur une branche, la branche se casse, le papa hippopotame lève la tête et la voit. Uma reste sans bouger là où elle est, dans l'espoir de se confondre avec les feuilles. Raté.

— Viens un peu par ici, enfant d'homme, lui dit le papa hippopotame.

Il n'y a plus qu'à obéir. Vu de près, le bébé est encore plus petit. Il a la peau gercée et les yeux embués. Non, vraiment, il n'est pas en forme.

— Vous qui habitez dans des villages, vous avez des sorciers qui vous aident, quand vous êtes malades. Tu connais peut-être un de leurs remèdes pour un bébé qui ne peut plus boire le lait de sa mère et qui est trop petit pour manger autre chose ?

Uma prend bien le temps de réfléchir avant de répondre. Non, elle ne connaît pas de remède. Mais elle sait qu'on ne peut pas contredire un hippopotame et s'en tirer aussi facilement. Dans son sac, il reste une chose, une seule, qui pourrait lui servir.

Elle la prend et la montre à l'hippopotame.

— Je ne possède aucun remède, et je ne sais pas où en

trouver. Et même si j'en avais, ce qui marche avec un humain pourrait se révéler un poison pour un animal. Mais j'ai ça.

Elle saisit une galette.

— Ça donne de la force et de l'énergie. Nous pourrions la dissoudre dans un peu d'eau et la donner à ton bébé.

L'hippopotame approuve et Uma fait comme elle a dit. Elle prépare une bouillie avec de l'eau et des morceaux de galette, la pose au creux d'une feuille en guise d'assiette et la place devant le museau du bébé hippopotame ; celui-ci rassemble ses dernières forces et lèche le tout avec sa langue rose. Après, il a les yeux plus brillants. Il fait un geste du museau, comme pour dire « encore ». Uma prend toutes les galettes et les réduit en bouillie avant de les donner à manger au bébé hippopotame. Rassasié et épuisé, il finit par s'endormir.

— Cela ne servira peut-être à rien, fille d'homme, dit le papa hippopotame. Mais tu as fait une chose bonne et gentille. Et je ne l'oublierai pas.

Il s'accroupit à côté de son bébé et s'endort lui aussi, car désormais la nuit est tombée.

Uma, qui n'a rien de mieux à faire, s'installe à côté d'eux. Elle n'a plus de galette, et la faim commence à se faire sentir dans son ventre. Comme elle est très fatiguée, elle sombre rapidement dans un profond sommeil.

Elle rêve que c'est le matin, et que le petit hippopotame se réveille, se lève sur ses quatre pattes et se met à trotter partout, tout rose et content comme un petit cochon plein d'énergie. Elle rêve que le papa hippopotame pleure des larmes roses, qui se transforment en perles roses. Elle les ramasse, elle les met dans sa poche, et elle repart vers la prochaine étape de son aventure.

Chapitre six

Dans lequel Uma comprend en quoi consiste le cadeau pour son père, et trouve une alliée extraordinaire

Quand Uma se réveille au matin, elle est très étonnée de découvrir qu'elle est seule. Un tapis de feuilles piétinées prouve qu'il y avait bien là un hippopotame et son bébé. Il reste aussi quelques miettes de galette, que

Uma s'empresse de dévorer. Mais les perles, où sont ses perles ? Uma est sur le point de pleurer de désespoir, lorsqu'une voix l'oblige à lever le nez en l'air.

— Petite fille, l'hippopotame m'a invoquée et m'a tout raconté. Il n'avait rien à te donner, les hippopotames ne pleurent pas de perles comme les autres animaux, mais il m'a dit qu'il éprouvait de la gratitude pour toi et que tu méritais une récompense. Je suis prête à te la donner de sa part, mais tu dois d'abord me raconter ton histoire. Comment se fait-il qu'une petite fille se promène seule dans la Savane, à la recherche de perles de larmes ?

« Et comment se fait-il qu'une araignée lise dans mes pensées, sache tout de mes perles et parle avec moi ? » est sur le point de répondre Uma.

Tout à coup, elle comprend que cette araignée, cette grande araignée apparue au centre d'une toile immense au-dessus de sa tête, n'est autre que Anansi ! Et on sait que rien ne plaît autant à Anansi qu'une belle histoire, puisque c'est la reine des récits. Et même si Uma a un peu peur (c'est quand même la plus grande

araignée qu'elle ait jamais vue),
Uma se met à raconter.

Il faut reconnaître que son
histoire est belle, et que la petite
fille sait raconter ; sa maman lui
a appris très tôt l'art du récit. En
plus, Anansi sait écouter. Bref, à
la fin, elles sont toutes deux très
satisfaites.

— Tu sais enchaîner les anecdotes, petite, lui dit-elle. En fait, tu les enfiles comme les perles sur un collier. Et puisque tu me dis que tu cherches un cadeau pour ton père, un cadeau spécial, un cadeau comme nul autre, j'ai décidé de t'aider : de la même façon que tu enfiles les histoires, je vais enfiler les perles de larmes sur un fil de ma toile pour en faire un collier. C'est un fil spécial, qui ne casse jamais ; c'est de ce fil que sont faits les manteaux des rois, les tapis volants, les rideaux qui gardent les rêves des princesses. Il n'y a pas meilleur

69

fil pour assembler ces perles, car chacune d'elles raconte l'histoire d'une douleur, et toutes ensemble elles racontent l'histoire d'une petite fille courageuse et intelligente. Je suis sûre que le plus beau cadeau pour ton père sera le tien !

Aussitôt dit, aussitôt fait ; Anansi enfile et noue les perles de larmes, l'une après l'autre, en alternant les couleurs d'une très jolie manière.

— Personne ne va me croire quand je dirai que ce collier est fait du fil de la toile d'Anansi ! dit Uma, en contemplant le précieux bijou terminé.

— Bien sûr qu'ils te croiront ! Aucun fil n'est aussi résistant. Qu'ils essaient de le casser et on verra ! Allez, maintenant, va, petite fille, car les vieux papas n'ont pas beaucoup de temps, et ils attendent que leurs adorables petites filles reviennent, pour des adieux doux et tristes. Mais toi, tu ne pleureras pas, parce que tu apportes en cadeau un collier de larmes et de douleur, gagné grâce à ta générosité. Il n'y aura pas de plus beau cadeau ! Va !

Uma s'en va. Ce n'est pas difficile de retrouver le chemin de la maison : sur chaque buisson, chaque branche, brille une petite toile d'araignée qui lui indique le chemin. Il faut se dépêcher, pour rentrer chez elle pile au bout des trente jours, ni plus tôt ni plus tard. Et puis elle n'a plus de provisions, et la faim la pousse à hâter le pas. Enfin, la nuit du vingt-neuvième jour, elle tombe dans les bras de sa maman.

Éveillée, elle l'attendait sur le pas de la hutte. Elle la nourrit et la berce, et Uma se laisse sombrer dans un profond sommeil réparateur.

Chapitre sept

Dans lequel tous les enfants du vieux roi se retrouvent et offrent leurs présents

Le lendemain matin, il y a toute une foule rassemblée devant la cabane du vieux roi : ses six fils, sa fille, les sept épouses et un petit groupe de curieux qui ont entendu parler du défi et qui veulent voir comment tout cela va finir.

Le premier fils s'incline devant son père et déroule à ses pieds une peau de lion.

— C'était l'orgueil de la Grande Montagne, dit-il. Mais moi, j'ai fait plier cet orgueil. Un roi pour le roi.

Il recule en jubilant. Qui d'autre aura eu le courage de tuer un lion, en plus un lion aussi célèbre et féroce ?

Le deuxième fils s'incline devant son père et ouvre un coffre rempli d'or.

— J'ai combattu les pillards du désert, et voici mon butin. De l'or pour le roi.

Le troisième fils s'incline devant son père et pose à ses pieds un petit livre relié en cuir rouge.

— C'est le livre du Savoir Universel, dit-il. Je suis allé à la Grande Ville et je l'ai obtenu des Sept Sages. Le savoir pour le roi.

Le quatrième fils s'incline devant son père et déroule un tapis aux couleurs vives.

— C'est le tapis des rêves, dit-il. Au coucher du soleil, il t'emmène où tu veux. Les nuits appartiennent au roi.

Le cinquième fils s'incline devant son père et lui montre

une bague dans un petit étui de velours.

— L'anneau qui rend invisible, dit-il fièrement. Il donne le pouvoir d'être là sans être vu. C'est le secret du roi.

Le sixième fils s'incline devant son père, ouvre un écrin rouge où repose un poignard à lame courbe. Il dit :

— L'Arme Blanche. Il suffit de penser à son ennemi pour qu'il soit blessé. La défense pour le roi.

Enfin c'est au tour d'Uma de s'avancer. Elle s'incline, tend le collier qui brille à la lumière du soleil et dit :

— Un collier de larmes, mon père. Ce sont toutes les douleurs que j'ai rassemblées pour toi.

On entend un murmure dans l'assemblée : « Un collier, c'est complètement idiot. C'est bien un cadeau de fille, ça !... »

Mais le roi n'a pas l'air d'entendre le bruissement de ces

phrases méchantes. Il prend le collier, le fait tourner entre ses doigts et dit à Uma :

— C'est vraiment un cadeau inhabituel pour un vieillard comme moi. Mais dis-moi, Uma, comment as-tu eu cette idée ?

Uma raconte son histoire. Et le collier se met à briller de sa propre lumière entre les doigts du roi, comme si dans chaque perle s'était allumée une petite luciole.

— Et toi, Uma, tu as pleuré quand tu étais seule dans la Savane ? demande enfin le roi à la fin du récit.

—J'en ai eu envie, mon père, répond Uma. J'étais seule et j'avais peur. Mais je me suis retenue, car j'ai compris que les larmes des autres créatures que j'avais rencontrées étaient plus douloureuses que les miennes.

Tout autour on entend des murmures. Personne ne croit à l'histoire d'Uma. Trop compliquée, trop étrange. Allons donc ! Une petite fille qui rencontre une lionne, un serpent, un crocodile, un hippopotame, et qui survit ! Une petite fille qui prétend avoir vu Anansi, la reine de toutes les histoires, la reine arai-

82

ont volé – il toise le deuxième – et certains n'ont pas compris que je suis arrivé à la fin de ma vie et que tout ce que je dois savoir, je l'ai déjà appris. Et puis il y en a qui n'ont pas compris que je ne veux aller nulle part, que tout ce que je demande, désespérément, c'est de rester ici avec vous. Ceux qui n'ont pas compris que la dernière chose au monde que je désire, c'est disparaître. Ceux qui n'ont pas compris que je n'ai plus à me défendre contre quoi que ce soit, à part la mort, et que ce n'est pas un poignard magique qui va la faire fuir. Non.

La seule chose qui m'a gardé en vie jusqu'à aujourd'hui, c'est la douleur, reprend le vieux roi. La douleur à l'idée de devoir vous laisser et vous perdre. Et il n'y a qu'un seul cadeau qui parle de douleur, c'est celui d'Uma.

Le vieux roi et tous les autres comprennent, à cet instant, que le cadeau d'Uma est le plus beau de tous. Parce que sa fille, sa fille unique, pendant son voyage, n'a jamais pensé à elle. Elle n'a pensé qu'aux autres. À tous ceux qu'elle a rencontrés et à lui, son père. Alors il se lève, prend des mains d'Uma le collier de larmes et le lui passe autour du cou.

— Porte-le toi. Pour ne jamais oublier ce voyage qui a fait de toi la reine de mon cœur.

À cet instant, le plus grand des fils, celui qui a tué un terrible lion, s'avance et, dans un geste rageur, veut arracher le collier du cou d'Uma. Mais le fil ne se casse pas.

— Ohhhh ! disent-ils tous en chœur. Mais alors la petite disait vrai ? C'est le fil de soie d'Anansi !

Les perles se mettent à danser sur la poitrine d'Uma, comme si

elles étaient vivantes, elles tintent
et chantent, chantent la chanson
de la douleur qui se transforme
en joie.

Conclusion

Le vieux père est tellement, tellement content d'avoir trouvé sa juste héritière que, bien qu'il soit vieux et fatigué, il décide qu'il doit et qu'il va vivre encore un peu, pour profiter de la compagnie de cette fille un peu spéciale, et aussi de ses autres fils, qui, chacun à leur manière, sont spéciaux eux aussi. Il doit seulement trouver comment rendre moins féroces ceux qui sont féroces, moins cruels ceux qui sont cruels, moins voleurs ceux qui sont voleurs. Uma est devenue la reine de son cœur mais c'est encore une enfant, et elle mérite de le rester encore un peu.

C'est ainsi que le vieux roi, dont la vie a été prolongée par la joie, reste roi encore quelque temps. Qui deviendra roi ou reine à sa mort ? Nous ne le saurons pas car nous sortons maintenant de cette histoire, tandis qu'au village on donne une grande fête. Tout le monde est heureux et danse et chante à la lumière des grands feux, et au milieu du cercle il y

a une petite fille courageuse avec un collier de perles que les flammes font scintiller, et dans chaque perle brille une douleur entendue, apaisée, guérie.

FiN

Dans ce premier tome, Agathe, une jeune princesse, parcourt le royaume dans l'espoir d'inverser un terrible sort. La Reine, sa mère, est dévastée : les miroirs reflètent l'inverse de la vérité. De magnifique, elle est donc devenue atrocement laide. Et ça, elle ne peut pas le supporter... Agathe réussira-t-elle à sauver sa maman et son Royaume ?

Menthe a huit ans et une particularité :
de grands, *très* grands pieds. Pas pratique pour la
danse, c'est vrai... Mais quand ses parents décident de
lui faire raccourcir les pieds, Menthe préfère fuir.
Et elle découvre vite que ses pieds hors du
commun peuvent lui être très utiles !

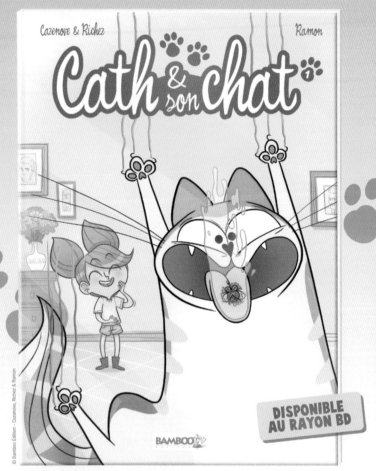

RETROUVEZ LES AVENTURES POILANTES DE CATH ET SON CHAT !

Le chat de Cath est vraiment bath !

Enfin, ça dépend : sauf les jours où il fait ses griffes sur la moquette, où il squatte le bureau de Cath et où il transforme les factures à payer en boulettes de papier… Une série pleine de fraîcheur et de tendresse !

Table

« Pour l'éditeur, le principe est d'utiliser des papiers composés de fibres naturelles, renouvelables, recyclables et fabriquées à partir de bois issus de forêts qui adoptent un système d'aménagement durable.
En outre, l'éditeur attend de ses fournisseurs de papier qu'ils s'inscrivent dans une démarche de certification environnementale reconnue. »

Imprimé en Roumanie par G.Canale & C.S.A.
Dépôt légal : juin 2012
Achevé d'imprimer : juin 2012
20.20.2422.2/01 ISBN : 978-2-01-202422-9
Loi n° 49956 du 16 juillet 1949
sur les publications destinées à la jeunesse